Zigzag

Livre de l'élève

Hélène Vanthier
Sylvie Schmitt

CECR					
A1	A2	B1	B2	C1	C2

Enfants de 7 à 10 ans
CD audio inclus

1

A1.1

CLE
INTERNATIONAL

Édition : Virginie Poitrasson

Création maquette : Rony Turlet

Mise en page : Atelier des 2 Ormeaux

Illustrations : Paul Beaupère, Xavier Husson

Couverture : Miz'enpage

Iconographie : Danièle Portaz, Clémence Zagorski

Photographie : Jean-Pierre Delagarde

© CLE International, 2010
ISBN : 978-209-038386-7

AVANT-PROPOS

Zigzag est une méthode d'apprentissage du français pour les enfants à partir de 7 ans.

Elle propose une approche dynamique qui sollicite majoritairement le jeu et l'action, mais engage également l'activité réflexive du jeune apprenant. Avec *Zigzag*, les enfants découvrent, jouent, chantent, bougent, réfléchissent et interagissent pour réaliser des tâches d'apprentissage motivantes et mener à bien des projets concrets.

Les 5 compétences du CECR, écouter, comprendre, interagir à l'oral et à l'écrit, y sont développées (niveau A1.1 du CECR pour *Zigzag* niveau 1).

Sa conception claire et attrayante, ses personnages sympathiques et joyeux, ses thèmes adaptés aux goûts des enfants, font de leur premier apprentissage du français une expérience tonique et motivante !

Sa structure

Une unité 0

6 unités d'apprentissage comprenant :

• Trois leçons d'une double-page. On trouve dans chaque leçon :

– **un paysage sonore et visuel** qui plonge l'enfant dans l'univers du thème abordé et introduit les nouveaux éléments langagiers à travers une écoute active ;

– **une activité de compréhension orale** qui permet à l'enfant d'identifier dans un nouveau contexte les éléments langagiers introduits précédemment ;

– **une activité de production orale guidée** qui met l'enfant en situation de produire en interaction avec le professeur et avec ses camarades. Des activités complémentaires de production orale entre enfants, sous forme de jeux, sont proposées dans le cahier d'activités ;

– une comptine ou une chanson.

La leçon 2 propose aussi **La boîte à sons de Pic Pic le hérisson** qui invite les enfants à découvrir la « musique » des mots du français et prépare à la mise en relation phonie-graphie développée dans le cahier d'activités.

La leçon 3 propose aussi **La boîte à outils de Pirouette la chouette** qui invite les enfants à une première observation réfléchie et à une première structuration de la langue. Elle porte sur des faits de langue rencontrés en cours d'unité.

• **Une page BD** qui reprend avec humour les éléments langagiers introduits dans l'unité.

• **Une page Projet** qui permet, à travers la réalisation d'une tâche collaborative et motivante, le réinvestissement et l'intégration des compétences développées.

3 double-pages « Découvertes »

• **Je découvre avec Félix** propose à l'enfant un éveil au monde qui l'entoure à travers des activités de découvertes interdisciplinaires.

• **Le blog de Félix** ouvre l'enfant à la diversité des cultures et l'invite à comparer son expérience avec le mode de vie d'autres enfants dans le monde.

Jours de fêtes pour les enfants

À la fin du livre de l'élève, *Zigzag* propose une découverte active et ludique des jours de fêtes qui jalonnent la vie d'un enfant français au cours d'une année. *Zigzag* 1 s'intéresse aux fêtes de décembre à avril.

Zigzag **vous souhaite... de jolies découvertes !**

1 🔍 **Observe la carte. Montre où tu habites.**

2 🎧 2 💬 **Écoute. Tu entends combien de langues différentes?**
Tu reconnais quelle(s) langue(s) ?

monde !

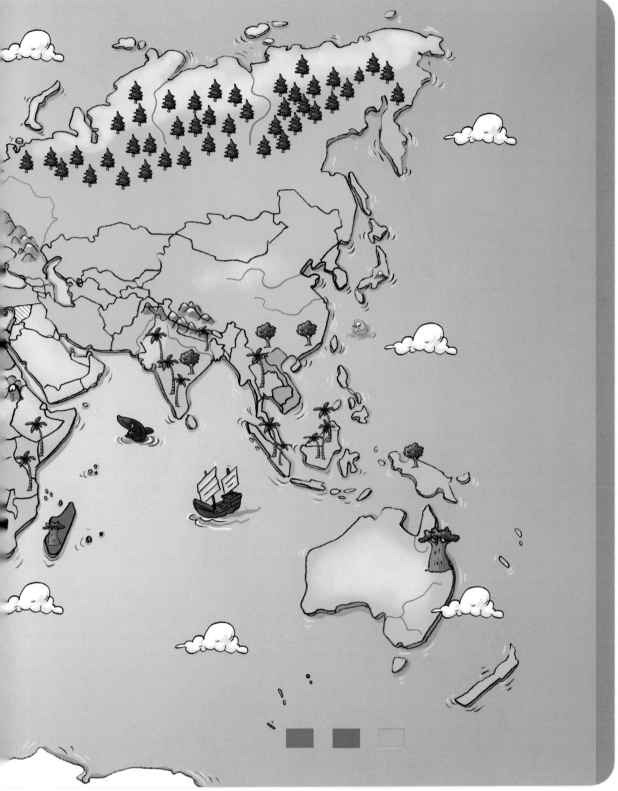

3 🔍 **Où parle-t-on français ? Montre sur la carte.**

4 🗣️ **Et toi, tu parles quelle(s) langue(s) ?**

Tous différents...Tous des enfants !

1 Bonjour les enfants !

2 Joue avec tes camarades.

3 🎧 3 🎵 Écoute, chante et danse avec Félix et ses amis !

Youpi ! C'est parti !

Bonjour les amis
Les grands, les petits
Venez vous amuser
Chanter et danser
Avec Félix et Lila
On tape des pieds
On lève les bras !

Youpi ! C'est parti !
Bonjour les amis
Les grands, les petits
Venez vous amuser
Apprendre le français
Avec Félix et Lila
On frappe des mains
On claque des doigts !

Et on crie HOURRA !

Bonjour les amis !

1 🎧 4 Écoute et montre Félix et ses amis.

2  Qui parle ? Écoute et dis.

Comment tu t'appelles ?

3 Et toi, comment tu t'appelles ?

4 Chante et danse avec Tilou et ses amis !

Nous avons tous un front
Deux yeux, un nez, un menton
Donne-moi ton prénom
Pour continuer la chanson
Je m'appelle Félix
Tu t'appelles... Lila
Elle s'appelle Lila !

Nous avons tous un front
Deux yeux, un nez, un menton
Donne-moi ton prénom
Pour continuer la chanson
Je m'appelle Lila
Tu t'appelles... Tilou
Il s'appelle Tilou !

Tous au parc !

1, 2, 3, C'est parti !

1 🎧 7 👤 Écoute et compte avec Madame Bouba.

2 🔍 Bingo ! Joue avec tes camarades.

3 🎧 8 **Écoute et montre la bonne photo.**

Tu as quel âge ?

4 💬 **Et toi, tu as quel âge ?**

La boîte à sons de Pic Pic le hérisson

5 🎧 9 **Écoute et frappe le rythme avec Félix et Lila.**

6 🎧 10 💬 **Écoute et dis.**

> J'ai 1 an, j'ai 2 ans, j'ai 3 ans, j'ai 4 ans, j'ai 5 ans
> j'ai 6 ans, j'ai 7 ans, j'ai 8 ans, j'ai 9 ans, j'ai 10 ans...
> Je suis **GRAND** !

Tous au parc !

Je veux un ballon rouge !

1. 🎧 11 **Écoute et montre les ballons.**

2. 🎧 12 👤 **Écoute et donne à chacun son ballon.**

3 🔍 👦 **Observe et continue.**

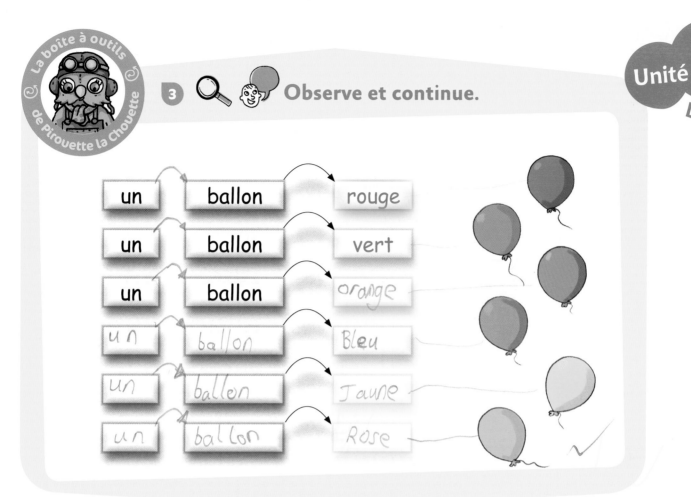

un	ballon	rouge
un	ballon	vert
un	ballon	orange
un	ballon	Bleu
un	ballon	Jaune
un	ballon	Rose

4 🎧 13 🎵 **Écoute et chante avec Tilou !**

Le crocodile croque, croque, croque
1, 2, 3 poissons rouges.

Le crocodile croque, croque, croque
1, 2, 3 poissons jaunes.

Le crocodile croque, croque, croque
1, 2, 3 poissons verts.

Le crocodile croque, croque, croque
1, 2, 3 poissons bleus.

Arrête de croquer gros crocodile
Sinon tes dents vont toutes tomber !

Oh, regardez ! Des ballons !

Bonjour monsieur, 5 ballons, s'il vous plaît !

Voilà madame! Un ballon bleu, un ballon jaune, un ballon rouge, un ballon vert et un ballon rose !

Merci Monsieur !

Prends les ballons Tilou ! ...Une minute les amis, je reviens !

Et.... Une barbe à papa, s'il vous plaît !

Oh, non... Tilou ?!!

Au revoir Tilou ! Bon voyage !

1 **Fabrique la ribambelle des enfants de ta classe.**

a Plie la feuille.

b Dessine.

c Découpe.

d Colorie.

2 **Écris les prénoms.**

3 **Présente ta ribambelle.**

En vert, c'est Emma.
Elle a 7 ans.

En rouge, c'est Hugo.
Il a 8 ans.

À la ferme

Bonjour les animaux !

1 🎧16 Écoute les bruits de la ferme.

2 🎧16 🔍 Écoute encore et montre les animaux.

3 🎧17 Clic-clac ! Félix fait des photos. Écoute et donne le bon numéro.

1 2 3 4 5 6

4 🎧18 💬 **Écoute, répète et mime.**

Je fais hi han...

Je fais bêê bêê.

Miaou miaou, je suis un petit chat.

Ouah ouah !

Cocorico !

5 💬 **Et dans ta langue, comment fait le canard ? Et la poule ? Et l'âne ?**

6 🎧19 🎵 **Chante avec Tilou!**

La rumba des animaux

Dans la ferme de Lila
C'est la fête des animaux
Ils dansent tous la rumba
Ça c'est super rigolo !
Et ça fait
Coin coin coin hihan hihan
Bêe bêe bêe miaou miaou
Meuh meuh cot cot codett
Ouah ouah ouah et cocorico
Ça c'est super rigolo !

À la ferme

Il y a combien de poussins ?

1 🎧 20 🔍 😀 **Écoute et compte les poussins.**

2 🎧 21 🔍 **Il y a combien d'œufs ? Écoute et donne le bon numéro.**

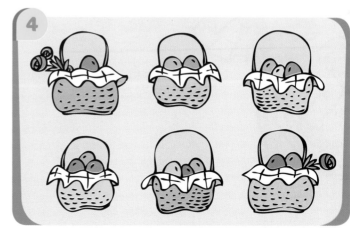

3 🔍 Nomme les 8 différences.

Il y a... Il n'y a pas de...

1   2

La boîte à sons de pic pic le hérisson

4 🎧22 Écoute et lève la main si tu entends le son [a] comme dans .

5 🎧23 Écoute et chante !

Am stram gram pic et pic et collegram
Bourre et bourre et ratatam
Am stram gram pique dame !

À la ferme

Dessine avec Lila !

1 🎧 24 Écoute Félix et Lila.

2 🎧 25 💬 Dessine dans l'espace et répète avec madame Bouba.

3 🔍 Range dans la boîte bleue ou dans la boîte rouge.

4 🎧 26 🎵 Chante avec Tilou !

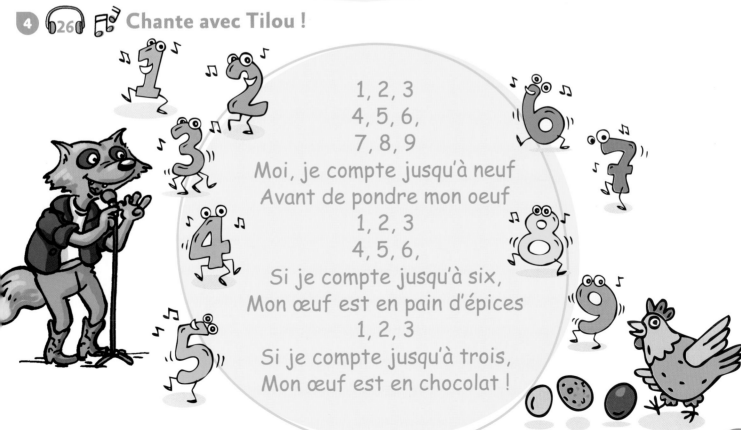

1, 2, 3
4, 5, 6,
7, 8, 9
Moi, je compte jusqu'à neuf
Avant de pondre mon oeuf
1, 2, 3
4, 5, 6,
Si je compte jusqu'à six,
Mon œuf est en pain d'épices
1, 2, 3
Si je compte jusqu'à trois,
Mon œuf est en chocolat !

27 **Lis et joue.**

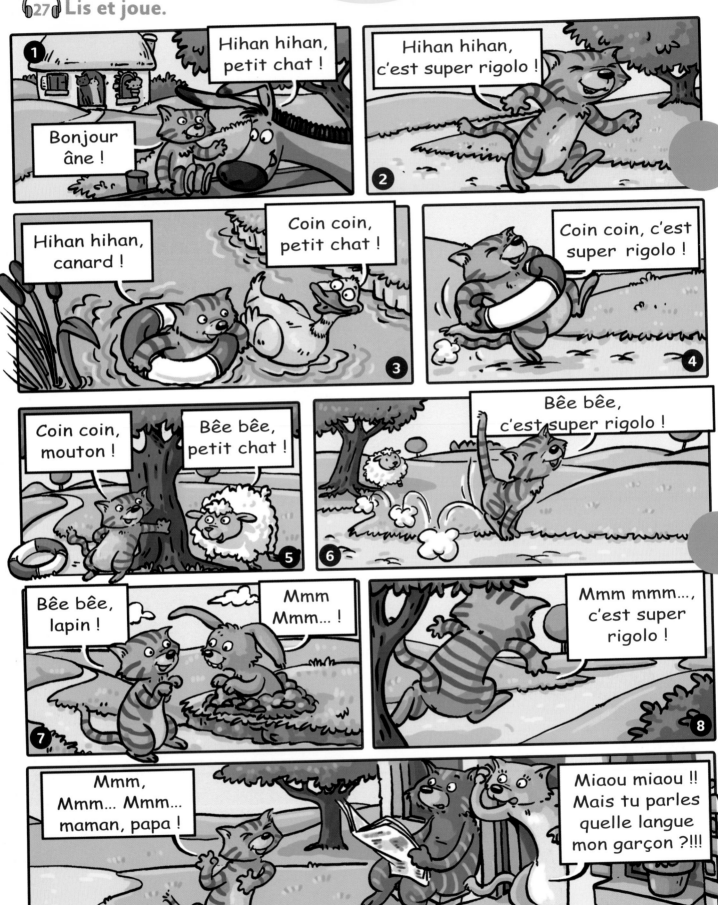

Projet

1 Fabrique le masque de ton animal !

a Découpe.

b Colorie ton masque.

c Fixe-le sur une baguette chinoise.

2 Cherche et retrouve les animaux de ta famille !

Tu es un chat ?

Non, je suis une poule !

3 Chante et danse la rumba des animaux !

Ils dansent tous la rumba, ça c'est super rigolo !

Et ça fait coin-coin coin...

Hihan !

Je découvre avec Félix

1 Retrouve la trace de chacun.

1  **2**  **3** 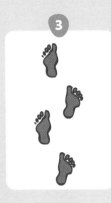 **4** 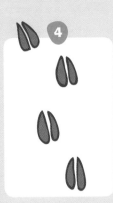 **5**

2 🔍 D'où viennent les coqs ? Montre sur la carte pages 4 et 5.

Cock-a-doodle-do !

Kokekokko!

Cócórócócóóóó !

chicchirichi !

Cocorico !

wo wo wo !

3 🎧  Écoute et associe chaque coq à son cri.

Le blog de Félix

Bonjour les amis,
Bienvenue sur mon blog !

Je m'appelle Félix.

Mes voyages Voici la Normandie. C'est dans le nord de la France.

Des moutons au Québec

Des zébus à Madagascar

Au revoir, à bientôt sur mon blog !

mes amis

mes voyages

mes dessins

mes recettes

mes jeux

1 Cherche le Québec et Madagascar sur la carte pages 4 et 5.

2 Et chez toi, il y a quels animaux dans les fermes ?

Au pays du goût

Au marché !

1 🎧29 **Écoute. Qu'est-ce que tu entends ?** **2** 🎧30 **Montre les fruits.**

3 🎧31 **La salade de fruits de Félix. Écoute et remets dans l'ordre.**

4 Sudoku ! Complète avec tes camarades.

5 🎧32 🎵 Chante avec Tilou !

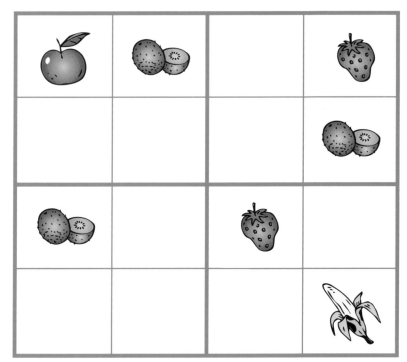

Dans la salade de fruits de Bouba
Il y a
Des oranges et des citrons
Des bananes et un melon
Et aussi, et pourquoi pas
Du chococo, du choco, du chococo, du choco
Du choco, du chocolat ?

Dans la salade de fruits de Bouba
Il y a
Des poires, des pommes, des kiwis,
Des fraises rouges pour faire joli
Et aussi, et pourquoi pas
Du chococo, du choco, du chococo, du choco
Du choco, du chocolat ?

Miam, miam !

Madame Bouba fait un régime !

1 🎧 33 **La ratatouille de Madame Bouba. Écoute et montre les légumes.**

2 🎧 34 💬 **Écoute et donne à chacune son panier.**

Madame Bouba   Pirouette

1   **2**

3 🎧35 Écoute et dis.

J'aime 💗   Je n'aime pas 💗

La boîte à sons de Pic Pic le hérisson

4 🎧36 Écoute et lève la main quand tu entends [o] comme dans 🍰.

5 🎧37 Écoute et dis.

Tourne tourne la ratatouille
Légumes et citrouilles
Mange mange le gâteau
C'est toi qui es le plus beau !

Au pays du goût

C'est sucré ou c'est salé ?

1 🎧38 🔍 **Sucré ou salé ? Écoute et montre.**

2 🎧39 **Classe les aliments. Écoute pour vérifier.**

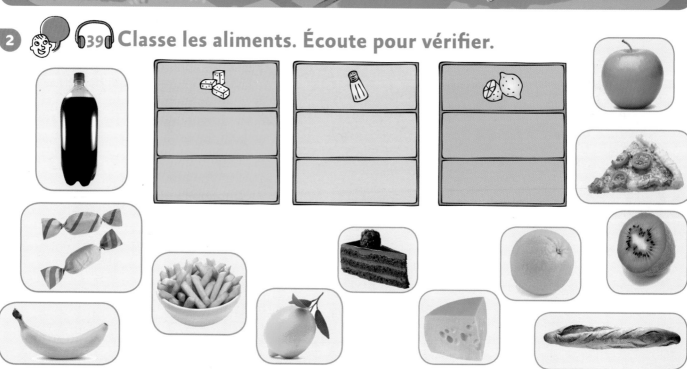

La boîte à outils de Pirouette la Chouette

3 🔍 💬 **Aide Pirouette à ranger ses courses.**

4 🎧40 🎵 **Chante avec Tilou !**

Le blues de la brosse à dents

Je brosse, brosse, brosse
Je suis la brosse à dents
Je brosse, brosse, brosse
Les dents des enfants

Je ne veux pas de gâteaux
Je ne veux pas de bonbons
Je ne veux pas de boissons sucrées
Non, stop ! Je suis fatiguée
Je ne veux plus brosser !

Je ne veux pas de gâteaux
Je ne veux pas de bonbons
Je ne veux pas de boissons sucrées
Non, stop ! Je suis fatiguée
Je veux me reposer !

🎧41 **Lis, écoute et joue.**

Tu veux des bonbons, Bouba ?

Non merci, je ne veux pas de bonbons.

Tu n'aimes pas les bonbons ??

C'est trop sucré ! Je fais un régime...

Un régime ? Mais, pourquoi ?!

DILING

DILING

Oh... Bonjour monsieur Pierre !

Bonjour madame Bouba ! Allez, on y va ?

Au revoir, les amis !

WAOUH !
Bouba est AMOUREUSE ?

Mon livre
J'aime - Je n'aime pas

1 Fabrique ton livre !

a Dessine et colorie.

b Découpe.

c Colle tes dessins sur les feuilles J'aime et Je n'aime pas.

d Écris le nom de ce que tu aimes et de ce que tu n'aimes pas.

2 Présente ton livre à tes camarades !

J'aime les pommes, mais je n'aime pas les carottes.

Moi, j'aime les fraises, mais je n'aime pas le fromage.

Les Olympiades des enfants

Tous sportifs !

1 🎧 1 Écoute le reportage de Félix et montre.

2 🎧 2 😊 Répète le rap et mime.

34

3 🎧 3 **Écoute et montre la bonne photo.**

4 🎧 4 😀 **Qui fait quoi ? Écoute, montre et dis.**

5 🎧 5 🎵 **Chante avec Tilou !**

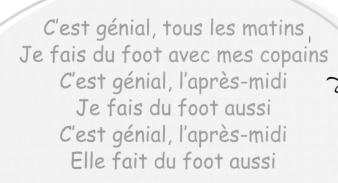

C'est génial, tous les matins
Je fais du foot avec mes copains
C'est génial, l'après-midi
Je fais du foot aussi
C'est génial, l'après-midi
Elle fait du foot aussi

Je suis champion de judo
Je fais de la danse et du vélo
Et sur mes super rollers
Je fonce à cent à l'heure !
Et sur ses super rollers
Il fonce à cent à l'heure !

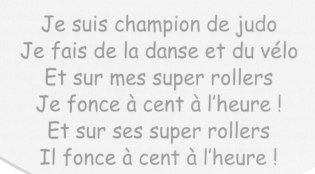

Les Olympiades des enfants

Une leçon de gymnastique !

1 🎧 6 Écoute et fais de la gymnastique avec Tilou et Bouba.

2 🎧 7 💬 Jacques a dit !

Jacques a dit : Lève les bras !

Tourne la tête !

36

3 **Le mémo de Lila. Associe les cartes.**

Un kimono....
pour faire du judo !

La boîte à sons de Pic Pic le hérisson

4 🎧 8 **Qu'est-ce qu'il y a
dans la maison du ⚽ ? Écoute et dis.**

Les Olympiades des enfants

Mais où sont Pic Pic et Pirouette ?

1 🎧 9 Écoute et montre.

2 🔍 Qu'est-ce que tu vois ? Regarde et dis.

3  10 🔍  **Écoute, observe et dis.**

Quand dit-on   il **?** elle **?**   ils **?**   elles **?**

1 Il est sous la table.

2 Elle est dans la piscine.

3 Ils sont sous la table.

4 Elles sont dans la piscine.

5 Ils sont sur le tatami.

4 11 🎵 **Chante avec Tilou !**

Vous savez faire du ski ?
Attention, c'est parti !

Pouces en avant, coudes en arrière
Et tchic et tchac, et tchic et tchac, et tchic et tchac, ha ha
Et, tchic et tchac, et tchic et tchac, et tchic et tchac, ha ha !

Pouces en avant, coudes en arrière, jambes pliées...
... pieds rentrés
... la tête dans les épaules...
... les fesses en arrière...
... et un cheveu sur la langue !

Et tsic et tsac, et tsic et tsac...

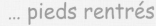

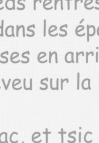

J'adore le ski. C'est génial !

Je fais comment Tilou ? ?

1

C'est très facile ! Regarde, Les bâtons dans les mains...

2

Les coudes en arrière...

3

Les jambes pliées...

Comme ça, Tilou ?

4

Oui, c'est bien Lila! Et, et... Aaaaah !!

5

Et... les fesses par terre !

ARRIVÉE

Merci pour la photo Tilou !

6

1 Lis et comprends la règle du jeu.

Jeu du bonhomme

Joueurs

Matériel

- un crayon
- une feuille de papier
- deux dés

But du jeu : Dessiner un bonhomme

Règle du jeu

Lance les dés, compte les points et dessine :

- **3 points** : la tête
- **5 points** : le ventre
- **6 points** : les 2 bras
- **7 points** : les 2 mains
- **8 points** : les 2 jambes
- **9 points** : les 2 pieds
- **10 points** : joker

2 Joue avec 2 camarades !

3 points... Je dessine la tête !

Maintenant, c'est à moi !

Je découvre avec Félix

1 🔍 Connais-tu ce drapeau ?

2 Il y a 5 anneaux de couleurs différentes. Sais-tu pourquoi ?

3 🔍 Trouve l'intrus dans chaque série !

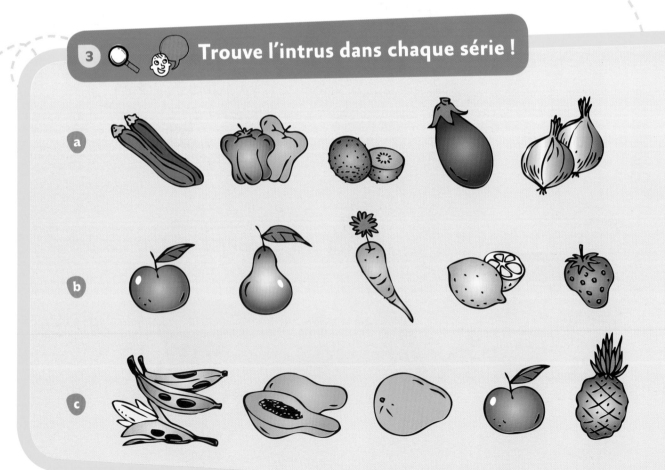

a

b

c

Le blog de Félix

Mes amis

Cher Félix,
J'habite à Nice. C'est une ville dans le sud de la France.
Voici une photo du marché. Il y a des légumes pour la ratatouille de Bouba !
Gros bisous,

Lisa

Nice

mes amis

mes voyages

mes dessins

mes recettes

mes jeux

Mes voyages

Un marché sur l'eau

1 D'où vient la photo n°1 ? Tu reconnais quels légumes ?

2 De quel pays vient la photo n°2 ? Montre sur la carte pages 4 et 5.

Unité **5**
Leçon 1

Qu'est-ce que tu mets Papino?

1 🎧14 **Écoute et montre les vêtements de Papino.**

2 🎧15 😮 **Qui est-ce ? Écoute et associe.**

3  **Trouve les 7 différences !**

4 🎧 16 🎵 **Chante avec Tilou !**

Le clown

J'ai un gros nez rouge
Deux traits sous les yeux
Un chapeau qui bouge
Je suis très joyeux
J'ai une cravate
Un grand pantalon
Et quand je me gratte
Je saute au plafond !

Rose, enfant du cirque

1 🎧17 💬 Écoute le reportage de Félix et montre la famille de Rose.

2 🎧18 💬 Qui est-ce ? Écoute et associe.

a   b   c   d   e

3 Présente la famille de Tilou !

Papilou

Mamilou

Grolou

Malou

Filou

Tilou

Lilou

La boîte à sons de Pic Pic le hérisson

4 🎧19 Qu'est-ce qu'il y a dans la maison de l'🐘 ? Écoute et dis.

5 🎧20 🎵 Écoute et chante.

Un éléphant se balançait sur une toile toile toile toile d'araignée.
C'était un jeu tellement amusant
qu'il appela... un deuxième éléphant.
Deux éléphants se balançaient... BA DA BOUM !

47

Au Cirque !

Oh ! J'ai peur !

1 🎧 21 😀 Qui parle ? Écoute et dis.

2 🎧 22 Écoute et associe.   **3** 😀 Répète et mime.

3  **Observe et comprends.**

Que disent Papino, Rose et Lila ?

Où est <u>ma</u>  ?

Où est <u>mon</u> ?

Où sont <u>mes</u> ?

C'est ......

Ce sont ......

C'est ......

Voilà ......

Voilà ......

Voilà ......

4  **Chante avec Tilou !**

Promenons-nous dans les bois
Pendant que Tilou n'y est pas
Tilou, où es-tu ?
Entends-tu ?
Que fais-tu ?

Je mets mon t-shirt vert
Je mets mon pantalon rouge
Je mets ma cravate rose
Je mets mes chaussures bleues
Je mets mon manteau jaune
Je mets mon chapeau orange
Je mets mon gros nez rouge
Je sors !

Cric crac croc, je vous croque !

1 Oh ! Je suis fatigué !

2 C'est MON ballon !

Ah NON !
C'est MON ballon !

3 Qu'est-ce que c'est ?

Mais, qu'est-ce que c'est ?

4 Le ballon...
C'est à qui ??

5 C'est à Pic Pic !

Non, c'est à Pirouette !

1 **Fabrique le jeu des 4 familles avec tes camarades.**

a Colorie une « famille ».

b Écris le mot sous le dessin.

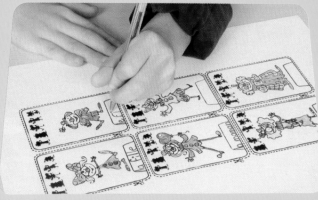

c Colle ta famille sur une feuille de couleur.

d Découpe les cartes.

2 **Mélange les cartes de ta famille avec les autres cartes.**

3 **Joue avec tes camarades et forme des familles complètes !**

Dans la famille Clown, tu as le papa ?

Non ! Pioche !

Dans la famille Fruits, tu as la pomme ?

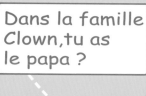

Vite, à l'école !

C'est la récré !

1 🎧 26 **Écoute le reportage de Félix et montre les jeux des enfants.**

2 🎧 27 💬 **Qui parle ? Écoute et associe.**

3   **Mime et réponds aux questions de tes camarades.**

Tu joues à l'élastique ?

Tu fais du ski ?

Tu joues à la marelle ?

Non !

Non !

Oui !

4 🎧28 🎵 **Chante avec Tilou !**

Hip hop ! On est là !
Bouge-toi et lève les bras
À l'école, la récré
C'est le moment de jouer

Tu aimes jouer aux billes
Et tu t'appelles Camille
Tu joues à l'élastique
Toi tu t'appelles Yannick

Moi je m'appelle Gaëlle
J'aime jouer à la marelle
Et moi dit Timothée
À la corde à sauter

Vite, à l'école !

La photo de classe !

1  29 Qui est-ce ? Écoute et montre.

2 30 Écoute Lila et donne le bon numéro.

1

2

3

4

5

6

3  31 Écoute Lila et dis ce qu'elle met dans son cartable.

La boîte à sons de Pic Pic le hérisson

4 32 Trouve 10 mots où tu entends [y] comme dans . Écoute pour vérifier.

Vite, à l'école !

C'est la fête de l'école !

1 🎧 33 Écoute et montre les activités.

2 À quoi jouent Félix et Lila ?

au - à la - à l' - aux

Je joue **au** ballon.

Je joue **à l'**ordinateur.

au

à la

à l'

aux

3 🎧34 🎵 Chante avec Tilou !

Dans mon cartable
y'a des livres et des cahiers
une gomme introuvable
et des crayons cassés

Mais je peux trouver
Une feuille de papier
Où j'ai dessiné
Un grand soleil doré

Dans mon cartable
y'a des livres et des cahiers
une gomme introuvable
et des crayons cassés

Mais je peux trouver
Une feuille de papier
Où j'ai dessiné
Un oiseau coloré

La boîte à outils de pirouette la Chouette

1 🎧 35 **Lis et écoute.**

On fait un jeu ?

Un jeu ? ...Bof !

2 🎧 36 **Donne le bon numéro.**

Lulu, Lulu, où es-tu ? Lulu ?

On joue aux billes ?

À l'élastique ?

Bof... ! Je n'ai pas envie...

Luluuuu ?

Luluuu !

Lulu la tortue a disparu !

Mais... Qu'est-ce que tu as sous ton pull ?

Crrr, crrr, crrr... Mmm...Mmm...

Mais... C'est Lulu la tortue !!

Oh non, Félix !

Luluuuu ?

Chut !!

1 **Fabrique un jeu de dominos avec tes camarades.**

a Dessine et colorie.

b Écris.

c Colle les dominos sur une feuille en carton.

d Découpe les dominos.

2 Joue aux dominos !

C'est à moi !
Voilà ! Les billes...

Je découvre avec Félix

1 🔍 **Regarde ! Dans le monde, les enfants jouent à des jeux très différents.**

2 🔍 **Lis et associe à une photo.**

a Carla habite à Mexico. Elle a 7 ans aujourd'hui.
Elle joue à la Piñata avec ses amis.

b On joue beaucoup au cerf-volant en Chine, au Cambodge, au Laos et au Vietnam.

c Des enfants jouent au carrom en Inde.

d Des enfants jouent à l'awalé au Mali, en Afrique.
C'est super pour apprendre à compter !

Le blog de Félix

> J'adore jouer au béret avec mes copains.
> Voici la règle du jeu. Amuse-toi bien !

Mes jeux

Jeu du béret

Joueurs   **Matériel :** une casquette

But du jeu : Attraper la casquette

Règle du jeu

- Chaque joueur de l'équipe **A** a un numéro.
- Chaque joueur de l'équipe **B** a aussi un numéro.
- Un joueur **C** est le « meneur de jeu ».

Le meneur de jeu appelle un numéro, par exemple : 3.

Chaque joueur n° 3 doit courir, attraper

la casquette  et porter la casquette à son

équipe.

L'équipe qui a la casquette marque un point. On remet

la casquette au milieu et le jeu continue.

mes amis

mes voyages

mes dessins

mes recettes

mes jeux

Jours de fête pour les enfants

Joyeux Noël !

1 🎧 37 **Écoute. Qui parle ?**

2 🎧 37 💬 **Écoute encore et trouve les cadeaux de Théo et de Clara.**

3 🎧38 **Bingo de Noël! Joue avec tes camarades.**

4 🎧39 🎵 **Chante avec Tilou !**

L'as-tu vu, l'as-tu vu
Ce petit bonhomme, ce petit bonhomme
L'as-tu vu, l'as-tu vu
Ce petit bonhomme au chapeau pointu ?

Il s'appelle Père Noël
Par la cheminée, par la cheminée
Il s'appelle Père Noël
Par la cheminée il descendra du ciel

Il apporte des joujoux
Sa hotte en est pleine, sa hotte en est pleine
Il apporte des joujoux
Sa hotte en est pleine et c'est pour nous !

Jours de fête pour les enfants...

Vive la galette !

1 La galette des rois à l'école !

2 🎧40 🎵 Chante avec Tilou !

VIVE LA REINE !!!   VIVE LE ROI !!!

> J'aime la galette
> Savez-vous comment ?
> Quand elle est bien faite avec du beurre dedans.
> Tra la la la la la la lère
> Tra la la la la la la la
> Tra la la la la la la lère
> Tra la la la la la la la

Jours de fête pour les enfants...

C'est Carnaval !

3 🎧 41 **Écoute et montre le bon déguisement.**

4 À ton avis, quelle photo vient de...

• Venise, en Italie ?

• Nice, dans le sud de la France ?

• Dunkerque, dans le nord de la France ?

• Rio de Janeiro, au Brésil ?

Jours de fête pour les enfants

Poisson d'avril !

1 Qu'est-ce qui est bizarre ?

2 Que disent ce garçon et cette fille ?

Jours de fête pour les enfants

C'est le printemps !

3 Trouve les œufs de Pâques cachés dans le jardin ! Il y en a combien ?

4 42 Chante avec Tilou !

Mon petit lapin
S'est caché dans le jardin
Cherchez-moi coucou, coucou
Je suis caché sous un chou

Remuant son nez
Il se moque du fermier
cherchez-moi coucou, coucou
Je suis caché sous un chou

Tirant ses moustaches
Le fermier passe et repasse
cherchez-moi coucou, coucou
Je suis caché sous un chou

Unité	Communication	Lexique
Introduction **Bonjour le monde !**	Saluer	Bonjour ! Salut !
Unité 1 **Tous au parc !**	**Se présenter** : Je m'appelle..., Je suis... **Identifier quelqu'un** :C'est.... Il/elle s'appelle... **Demander et dire son âge :** J'ai 7 ans. Tu as quel âge ? **Caractériser :** C'est un ballon vert ! **Demander et remercier :** Un ballon rouge, s'il vous plaît ! Merci !	Nombres de 1 à 12. Couleurs.
Unité 2 **À la ferme !**	**Identifier quelque chose :** Qu'est-ce que c'est ? C'est un/une... **Caractériser :** L'âne fait hi-han ! **Compter jusqu'à 20** **Dénombrer / situer :** Il y a... Il n'y a pas de... **Dire ce que l'on fait :** Je dessine un grand triangle.	Animaux de la ferme. Nombres de 13 à 20. Formes géométriques.
Unité 3 **Au pays du goût !**	**Dire ce que l'on a** : J'ai des bananes et ... **Expliquer la composition d'un plat** : Dans la salade de fruits il y a des poires, des kiwis... **Dire et demander à quelqu'un ce que l'on aime / ce que l'on n'aime pas** : J'aime les ..., je n'aime pas les... **Caractériser des saveurs :** C'est salé, sucré, acide. **Dire ce que l'on veut** : Je veux des... Je ne veux pas de...	Fruits et légumes. Aliments. Le goût : sucré, salé, acide.
Unité 4 **Les Olympiades des enfants !**	**Parler de ce que l'on fait / dire quel sport on pratique :** Je fais du judo ; elle fait de la natation... Qu'est-ce que tu fais ? **Identifier certaines parties du corps :** la tête, les bras, les mains... **Comprendre une instruction :** Lève les bras ! **Localiser :**Ils sont sous la table.	Activités sportives. Parties du corps. Localisation dans l'espace.
Unité 5 **Vive le cirque !**	**Décrire quelqu'un** :Il/elle porte... **Présenter sa famille :** C'est ma sœur. **Exprimer ses émotions / sensations :** J'ai peur / Je suis fatigué. **Exprimer l'appartenance :** C'est à qui ? C'est mon ballon.	Vêtements. Famille. Émotions / Sensations.
Unité 6 **Vite, à l'école !**	**Dire à quoi on joue à la récré :** Je joue à l'élastique. **Demander à quelqu'un s'il veut jouer :** Tu joues aux billes avec moi ? **Dire ce qu'on fait à l'école :** Je fais des maths. **Dire ce qu'il y a dans son cartable :** J'ai des cahiers, une trousse... **Dire ce qu'on aime faire** : J'aime jouer à l'ordinateur.	Jeux de cour de récréation. Matières scolaires. Matériel scolaire. Activités de fêtes des école
Jours de fête pour les enfants...	**Indiquer le destinataire de quelque chose :** Le jeu vidéo, c'est pour Théo. **Exprimer un souhait :** Je voudrais... **Exprimer une opinion :** C'est bizarre !	Le Père Noël et ses cadeaux « Objets » de Noël. La galette des rois. Carnaval et ses déguisements. Le 1er avril et ses farces. Pâques et ses œufs.

Phonétique	Observation de la langue	Découvertes culturelles	Projet
		les langues du monde et le français. Les enfants du monde.	
Identifier une structure rythmique : frapper un rythme dans les mains.	Emploi en contexte de je, tu, il, elle Place des adjectifs de couleur	Le parc.	Fabriquer la ribambelle des enfants de la classe et la présenter.
Identifier le phonème [a] comme dans chat	un / une des	Les onomatopées des cris des animaux en français. **Je découvre avec Félix :** Le cri du coq dans différentes langues. **Le blog de Félix :** Fermes en Normandie et à travers le monde.	Fabriquer des masques, chanter et danser *la Rumba des animaux*.
Identifier le phonème [o] comme dans gâteau	le / la / les	Le marché.	Fabriquer un livre des J'aime – Je n'aime pas ! Le présenter à ses camarades.
Identifier le phonème [õ] comme dans ballon.	il /elle ; ils /elles est / sont	Les enfants et le sport **Je découvre avec Félix :** Le drapeau olympique. **Le blog de Félix :** Fruits et marchés du monde.	Jouer au Jeu du bonhomme.
Identifier le phonème [ã] comme dans éléphant	mon / ma / mes	Personnages du cirque.	Fabriquer un Jeu des 4 familles et jouer.
Discriminer les phonèmes [y] et [u] comme dans tortue/poule.	Je joue au / à la / à l' / aux	L'école. La fête de fin d'année. **Je découvre avec Félix :** Jeux du monde. **Le blog de Félix :** Un jeu traditionnel des cours de récréation : le béret.	Fabriquer un jeu de Dominos de l'école et jouer.
		Fêtes et traditions enfantines (hiver et printemps).	

Crédits photographiques

pp. 4, 15, 23, 33, 36, 41, 51, 59, et 64	Ph © Jean Pierre DELAGARDE
p. 6 ht g	Ph.Andrejs Pidjass / Fotolia © SEJER
p. 6 ht m	Ph.C. Quenum / Fotolia © SEJER
p. 6 ht d	Ph.The final Miracle / Fotolia © SEJER
p. 6 m g	Ph.Arvind Balaraman / Fotolia © SEJER
p. 6 m d	Ph.Sonya Etchison / Shutterstock © SEJER
p. 6 bas g	Ph. Mamahoohooba / Fotolia © SEJER
p. 6 bas m	Ph. Evafotografie / Istock © SEJER
p. 6 bas d	Ph.Zurijeta / Shutterstock © SEJER
p. 11 g	Ph.Roman White / Fotolia © SEJER
p. 11 ht m	Ph. My 3 Kids / Fotolia © SEJER
p. 11 d	Ph. Sanjay Goswani / Fotolia © SEJER
p. 11 bas m	Ph. Stephanie Frey / Shutterstock © SEJER
p. 16 ht g	Ph. Stephane Duchateau / Fotolia © SEJER
p. 16 m ht et p. 24 g	Ph © David Courtenay / BSIP
p. 16 m hd et p. 24md	Ph. Gravicapa / Fotolia © SEJER
p. 16 bas g	Ph. © J.-L. Klein & M.-L. Hubert / Biosphoto /
p. 16 m m et p. 24mm	Ph. © Biscuit Eight LLC / CORBIS
p. 16 bas d	Ph. © Arco / BSIP
p. 17 ht g	Ph. © Akira / Amanaimages / CORBIS
p. 17 ht d	Ph. Bacalao / Fotolia © SEJER
p. 17 bas	Ph. Jose Manuel Gelpi/ Fotolia © SEJERJose Manuel Gelpi
p. 24 m hg	Ph. © Radius Images / CORBIS
p. 25 ht g	Ph. Laurent Jager/ Fotolia © SEJER
p. 25 bas g	Ph. © ImageSource / REA
p. 25 bas d	BIS / Ph. Sweet Tom / Fotolia / © Archives SEJER
p. 27	Ph. Oleg_Z / Shutterstock © SEJER
p. 28	Ph. Saiko3p / Shutterstock © SEJER
p. 30 bas	Ph. Travis Manley, Helen Bird, Samokhin, Nayashkova Olaga, 06photo, Tatiana Popova, Strejman, Hintau Aliaksei, Gregory Gerber, Benko Zsolt, / Shutterstock © SEJER
p. 30 ht m	BIS / Ph. Photographer / Fotolia / © Archives SEJER
p. 30 bas d	BIS / Ph. Goodshoot / Jupiterimages - Coll. Archives Sejer
p. 35 ht g	Andy Dean Photography / Shutterstock © SEJER
p. 35 ht d	Ph. Monkey Business Images / Shutterstock © SEJER
p. 35 bas g	Ph. Hwahl3 / Fotolia © SEJER
p. 35 bas d	Ph. Get4net / Shutterstock © SEJER
p. 42	Ph. © Archives LAROUSSE
p. 43 ht	Ph. © Bertrand Rieger / HEMIS
p. 43 bas	Ph.Tatiana Grozetskaya / Shutterstock © SEJER
p. 53 g	Ph. Yuri Arcurs _Z / Fotolia © SEJER
p. 53 d	Ph. Rontech 2000 / Istock © SEJER
p. 60 ht g	Ph. © Freederic Neema / GAMMA RAPHO
p. 60 ht d	Ph. © Jake Lyell / PHOTO12.COM / ALAMY
p. 60 bas g	Ph. © Farhan Khan / APP-DR
p. 60 bas d	Ph. © Jupiteriages / GETTY IMAGES France
p. 65 ht g	Ph; © Hervé Hughes / HEMIS
p. 65 ht d	Ph. Studio 37 / Shutterstock © SEJER
p. 65 bas g	Ph. © Mautitius Images / PHOTONONSTOP
p. 65 bas d	Ph. Morane / Fotolia © SEJER

N° d'éditeur : 102090341 - juillet 2014
Imprimé en France par I.M.E. - 25110 Baume-les-Dames

IMPRIM'VERT